COLECCIÓN POESÍA

PLAZA & JANÉS

Antonio Machado (Sevilla, 1875-Colliure, 1939) nació en el seno de una familia liberal que en 1883 se trasladó a Madrid. Junto a su hermano Manuel, estudió en la Institución Libre de Enseñanza. En 1899, tras haber empezado a publicar en *La Caricatura*, aceptó un empleo de traductor en París, ciudad donde el simbolismo y el impresionismo estaban en pleno auge. En 1901 publicó sus primeros poemas en la revista *Electra*, y en 1903 apareció *Soledades*, libro de poemas que en 1907 se reeditaría con el título de *Soledades, galerías y otros poemas*, al tiempo que obtenía la cátedra de francés en el Instituto de Soria. En 1909 se casó con Leonor Izquierdo y, al año siguiente, le conceden una beca para ampliar estudios en París (asiste a los cursos de Bergson y Bédier), donde Leonor enferma de tuberculosis, motivo que les induce a regresar a Soria, donde la joven esposa muere a los pocos meses de la publicación de *Campos de Castilla*. Sumido en una profunda depresión, el poeta pide traslado de instituto y en 1912 se instala en Baeza. En 1917 se editan sus *Poesías escogidas* y el primer volumen de las *Poesías completas*. En 1919 obtiene el traslado al Instituto de Segovia, destino que le permite viajar los fines de semana a Madrid para ver a sus familiares y amigos y regresar al mundo literario. En 1924 publica *Nuevas canciones* y en 1927 es nombrado académico de la lengua. Por esas fechas conoció a Guiomar. Tras la proclamación de la República consigue, por fin, el traslado a un instituto de Madrid, ciudad que deberá abandonar en noviembre de 1936 debido al estallido de la guerra civil. Machado, fiel a su ideario republicano, se traslada a Rocafort (Valencia) y, posteriormente, a Barcelona. En 1937, se publica su último libro: *La guerra*. En enero de 1939 cruza la frontera española y se instala en Colliure, donde muere el día 22 de febrero.

ANTONIO MACHADO

Antología

Colección dirigida por

Ana María Moix

Selección de

Jordi Villaronga

PLAZA & JANÉS EDITORES, S.A.

Diseño de la portada: Marta Borrell
Fotografía de la portada: Photonica

Primera edición: enero, 1999

Printed in Spain – Impreso en España

ISBN: 84-01-59030-2
Depósito legal: B. 49.915 - 1998

Fotocomposición: Víctor Igual, S. L.

Impreso en Romanyà Valls, S. A.
Verdaguer, 1. Capellades (Barcelona)

L 590302

TIEMPO DE VIDA
Y DE MUERTE

LXXVIII (1)

¿Y ha de morir contigo el mundo mago
donde guarda el recuerdo
los hálitos más puros de la vida,
la blanca sombra del amor primero,
la voz que fue a tu corazón, la mano
que tú querías retener en sueños,
y todos los amores
que llegaron al alma, al hondo cielo?
¿Y ha de morir contigo el mundo tuyo,
la vieja vida en orden tuyo y nuevo?
¿Los yunques y crisoles de tu alma
trabajan para el polvo y para el viento?

[de *Galerías*]

XIV (2)
(Cante hondo)

Yo meditaba absorto, devanando
los hilos del hastío y la tristeza,
cuando llegó a mi oído,
por la ventana de mi estancia, abierta
a una caliente noche de verano,
el plañir de una copla soñolienta,
quebrada por los trémolos sombríos
de las músicas magas de mi tierra.
... Y era el Amor, como una roja llama...
—Nerviosa mano en la vibrante cuerda
ponía un largo suspirar de oro,
que se trocaba en surtidor de estrellas—.
... Y era la Muerte, al hombro la cuchilla,
el paso largo, torva y esquelética.
—Tal cuando yo era niño la soñaba—.
Y en la guitarra, resonante y trémula,
la brusca mano, al golpear, fingía
el reposar de un ataúd en tierra.
Y era un plañido solitario el soplo
que el polvo barre y la ceniza avienta.

[de *Soledades*]

LVII (3)
(Consejos)

I

Este amor que quiere ser
acaso pronto será;
pero ¿cuándo ha de volver
lo que acaba de pasar?
Hoy dista mucho de ayer.
¡Ayer es Nunca jamás!

II

Moneda que está en la mano
quizá se deba guardar;
la monedita del alma
se pierde si no se da.

[de *Galerías*]

XCV (4)

(Coplas mundanas)

Poeta ayer, hoy triste y pobre
filósofo trasnochado,
tengo en monedas de cobre
el oro de ayer cambiado.
Sin placer y sin fortuna,
pasó como una quimera
mi juventud, la primera...
la sola, no hay más que una:
la de dentro es la de fuera.
Pasó como un torbellino,
bohemia y aborrascada,
harta de coplas y vino,
mi juventud bien amada.
Y hoy miro a las galerías
del recuerdo, para hacer
aleluyas de elegías
desconsoladas de ayer.
¡Adiós, lágrimas cantoras,
lágrimas que alegremente
brotabais, como en la fuente
las limpias aguas sonoras!

¡Buenas lágrimas vertidas
por un amor juvenil,
cual frescas lluvias caídas
sobre los campos de abril!
No canta ya el ruiseñor
de cierta noche serena;
sanamos del mal de amor
que sabe llorar sin pena.
Poeta ayer, hoy triste y pobre
filósofo trasnochado,
tengo en monedas de cobre
el oro de ayer cambiado.

[de *Varia*]

LXXI (5)

¡Tocados de otros días,
mustios encajes y marchitas sedas;
salterios arrumbados,
rincones de las salas polvorientas;
daguerrotipos turbios,
cartas que amarillean;
libracos no leídos
que guardan grises florecitas secas;
romanticismos muertos,
cursilerías viejas,
cosas de ayer que sois el alma, y cantos
y cuentos de la abuela!...

[de *Galerías*]

LXXV (6)

Yo, como Anacreonte,
quiero cantar, reír y echar al viento
las sabias amarguras
y los graves consejos,
y quiero, sobre todo, emborracharme,
ya lo sabéis... ¡Grotesco!
Pura fe en el morir, pobre alegría
y macabro danzar antes de tiempo.

[de *Galerías*]

XIII (7)

La muerte

Aquel juglar burlesco
que, a son de cascabeles, me mostraba
el amargo retablo de la vida,
hoy cambió su botarga
por un traje de luto y me pregona
el sueño alegre de una alegre farsa.
Dije al juglar burlesco:
queda con Dios y tu retablo guarda.
Mas quisiera escuchar tus cascabeles
la última vez y el gesto de tu cara
guardar en la memoria, por si acaso
te vuelvo a ver, ¡canalla!...

[de *Soledades. Poesías sueltas*]

CXXXVII (8)
(Parábolas)

I

Era un niño que soñaba
un caballo de cartón.
Abrió los ojos el niño
y el caballito no vio.
Con un caballito blanco
el niño volvió a soñar;
y por la crin lo cogía...
¡Ahora no te escaparás!
Apenas lo hubo cogido,
el niño se despertó.
Tenía el puño cerrado.
¡El caballito voló!
Quedóse el niño muy serio
pensando que no es verdad
un caballito soñado.
Y ya no volvió a soñar.
Pero el niño se hizo mozo
y el mozo tuvo un amor,
y a su amada le decía:
¿Tú eres de verdad o no?

Cuando el mozo se hizo viejo
pensaba: todo es soñar,
el caballito soñado
y el caballo de verdad.
Y cuando vino la muerte,
el viejo a su corazón
preguntaba: ¿Tú eres sueño?
¡Quién sabe si despertó!

[de *Campos de Castilla*]

XCII (9)

Tournez, tournez, chevaux de bois.

VERLAINE

Pegasos, lindos pegasos,
caballitos de madera.
....
Yo conocí, siendo niño,
la alegría de dar vueltas
sobre un corcel colorado,
en una noche de fiesta.
En el aire polvoriento
chispeaban las candelas,
y la noche azul ardía
toda sembrada de estrellas.
¡Alegrías infantiles
que cuestan una moneda
de cobre, lindos pegasos,
caballitos de madera!

[de *Galerías*]

LXXXVII (10)
(Renacimiento)

[I]

Galerías del alma... ¡El alma niña!
Su clara luz risueña;
y la pequeña historia,
y la alegría de la vida nueva...
¡Ah, volver a nacer, y andar camino,
ya recobrada la perdida senda!
Y volver a sentir en nuestra mano,
aquel latido de la mano buena
de nuestra madre... Y caminar en sueños
por amor de la mano que nos lleva.

[de *Galerías*]

V (11)
(Recuerdo infantil)

Una tarde parda y fría
de invierno. Los colegiales
estudian. Monotonía
de lluvia tras los cristales.
Es la clase. En un cartel
se representa a Caín
fugitivo, y muerto Abel,
junto a una mancha carmín.
Con timbre sonoro y hueco
truena el maestro, un anciano
mal vestido, enjuto y seco,
que lleva un libro en la mano.
Y todo un coro infantil
va cantando la lección;
mil veces ciento, cien mil,
mil veces mil, un millón.
Una tarde parda y fría
de invierno. Los colegiales
estudian. Monotonía
de la lluvia en los cristales.

[de *Soledades*]

XCIII (12)

Deletreos de armonía
que ensaya inexperta mano.
Hastío. Cacofonía
del sempiterno piano
que yo de niño escuchaba
soñando... no sé con qué,
con algo que no llegaba,
todo lo que ya se fue.

[de *Galerías*]

IV (13)
(Consejos)

Sabe esperar, aguarda que la marea fluya,
—así en la costa un barco—, sin que al partir te inquiete.
Todo el que aguarda sabe que la victoria es suya;
porque la vida es larga y el arte es un juguete.
Y si la vida es corta
y no llega la mar a tu galera,
aguarda sin partir y siempre espera,
que el arte es largo y, además, no importa.

[de *Campos de Castilla*]

AMORÍOS Y EROTISMO

V (14)

Huye del triste amor, amor pacato,
sin peligro, sin venda ni aventura,
que espera del amor prenda segura,
porque en amor locura es lo sensato.
Ese que el pecho esquiva al niño ciego
y blasfemó del fuego de la vida,
de una brasa pensada, y no encendida,
quiere ceniza que le guarde el fuego.
Y ceniza hallará, no de su llama,
cuando descubra el torpe desvarío
que pedía, sin flor, fruto en la rama.
Con negra llave el aposento frío
de su tiempo abrirá. ¡Desierta cama,
y turbio espejo y corazón vacío!

[de *Nuevas canciones*]

CLV (15)
(Hacia tierra baja)

I

Rejas de hierro; rosas de grana.
¿A quién esperas,
con esos ojos y esas ojeras,
enjauladita como las fieras,
tras de los hierros de tu ventana?
Entre las rejas y los rosales,
¿sueñas amores
de bandoleros galanteadores,
fieros amores entre puñales?
Rondar tu calle nunca verás
ese que esperas; porque se fue
toda la España de Mérimée.
Por esta calle —tú elegirás—
pasa un notario
que va al tresillo del boticario,
y un usurero, a su rosario.
También yo paso, viejo y tristón.
Dentro del pecho llevo un león.

III

Un mesón de mi camino.
Con un gesto de vestal,
tú sirves el rojo vino
de una orgía de arrabal.
Los borrachos
de los ojos vivarachos
y la lengua fanfarrona
te requiebran ¡oh varona!
Y otros borrachos suspiran
por tus ojos de diamante,
tus ojos que a nadie miran.
A la altura de tus senos,
la batea rebosante
llega en tus brazos morenos.
¡Oh, mujer,
dame también de beber!

[de *Nuevas canciones*]

XL (16)
(Inventario galante)

Tus ojos me recuerdan
las noches de verano,
negras noches sin luna,
orilla al mar salado,
y el chispear de estrellas
del cielo negro y bajo.
Tus ojos me recuerdan
las noches de verano.
Y tu morena carne,
los trigos requemados,
y el suspirar de fuego
de los maduros campos.

Tu hermana es clara y débil
como los juncos lánguidos,
como los sauces tristes,
como los linos glaucos.
Tu hermana es un lucero
en el azul lejano...
Y es alba y aura fría
sobre los pobres álamos

que en las orillas tiemblan
del río humilde y manso.
Tu hermana es un lucero
en el azul lejano.
   De tu morena gracia,
de tu soñar gitano,
de tu mirar de sombra
quiero llenar mi vaso.
Me embriagaré una noche
de cielo negro y bajo,
para cantar contigo,
orilla al mar salado,
una canción que deje
cenizas en los labios...
De tu mirar de sombra
quiero llenar mi vaso.
   Para tu linda hermana
arrancaré los ramos
de florecillas nuevas
a los almendros blancos,
en un tranquilo y triste
alborear de marzo.
Los regaré con agua
de los arroyos claros,

los ataré con verdes
junquillos del remanso...
Para tu linda hermana
yo haré un ramito blanco.

[de *Humorismos, fantasías,*
apuntes. Los grandes inventos]

VI (17)

Y en la Sierra de Quesada:
«Vivo en pecado mortal:
no te debiera querer;
por eso te quiero más.»

[de *Cancionero apócrifo*]

XVI (18)

Siempre fugitiva y siempre
cerca de mí, en negro manto
mal cubierto el desdeñoso
gesto de tu rostro pálido.
No sé adónde vas, ni dónde
tu virgen belleza tálamo
busca en la noche. No sé
qué sueños cierran tus párpados,
ni de quién haya entreabierto
tu lecho inhospitalario.
. . . .
Detén el paso, belleza
esquiva, detén el paso.
Besar quisiera la amarga,
amarga flor de tus labios.

[de *Soledades*]

[VII] (19)

... Aunque a veces sabe Onán
mucho que ignora Don Juan.

[de *De un cancionero apócrifo*]

[XI] (20)

Nel mezzo del cammin pasóme el pecho
la flecha de un amor intempestivo.
Que tuvo en el camino largo acecho
mostróme en lo certero el rayo vivo.
Así un imán que, al atraer, repele
(¡oh claros ojos de mirar furtivo!),
amor que asombra, aguija, halaga y duele,
y más se ofrece cuanto más esquivo.
Si un grano del pensar arder pudiera,
no en el amante, en el amor, sería
la más honda verdad lo que se viera;
y el espejo de amor se quebraría,
roto su encanto, y roto la pantera
de la lujuria el corazón tendría.

[de *De un cancionero apócrifo*]

LEONOR

CXV (21)

(A un olmo seco)

Al olmo viejo, hendido por el rayo
y en su mitad podrido,
con las lluvias de abril y el sol de mayo,
algunas hojas verdes le han salido.
¡El olmo centenario en la colina
que lame el Duero! Un musgo amarillento
le mancha la corteza blanquecina
al tronco carcomido y polvoriento.
No será, cual los álamos cantores
que guardan el camino y la ribera,
habitado de pardos ruiseñores.
Ejército de hormigas en hilera
va trepando por él, y en sus entrañas
urden sus telas grises las arañas.
Antes que te derribe, olmo del Duero,
con su hacha el leñador, y el carpintero
te convierta en melena de campana,
lanza de carro o yugo de carreta;
antes que rojo en el hogar, mañana,
ardas de alguna mísera caseta,
al borde de un camino;
antes que te descuaje un torbellino

y tronche el soplo de las sierras blancas;
antes que el río hasta la mar te empuje
por valles y barrancas,
olmo, quiero anotar en mi cartera
la gracia de tu rama verdecida.
Mi corazón espera
también, hacia la luz y hacia la vida,
otro milagro de la primavera.

Soria, 1912

[de *Campos de Castilla*]

CXVIII (22)
(Caminos)

De la ciudad moruna
tras las murallas viejas,
yo contemplo la tarde silenciosa,
a solas con mi sombra y con mi pena.
El río va corriendo,
entre sombrías huertas
y grises olivares,
por los alegres campos de Baeza.
Tienen las vides pámpanos dorados
sobre las rojas cepas.
Guadalquivir, como un alfanje roto
y disperso, reluce y espejea.
Lejos, los montes duermen
envueltos en la niebla,
niebla de otoño, maternal; descansan
las rudas moles de su ser de piedra
en esta tibia tarde de noviembre,
tarde piadosa, cárdena y violeta.
El viento ha sacudido
los mustios olmos de la carretera,
levantando en rosados torbellinos
el polvo de la tierra.

La luna está subiendo
amoratada, jadeante y llena.
   Los caminitos blancos
se cruzan y se alejan,
buscando los dispersos caseríos
del valle y de la sierra.
Caminos de los campos...
¡Ay, ya no puedo caminar con ella!

[de *Campos de Castilla*]

CXIX (23)

Señor, ya me arrancaste lo que yo más quería.
Oye otra vez, Dios mío, mi corazón clamar.
Tu voluntad se hizo, Señor, contra la mía.
Señor, ya estamos solos mi corazón y el mar.

[de *Campos de Castilla*]

CXXI (24)

Allá, en las tierras altas,
por donde traza el Duero
su curva de ballesta
en torno a Soria, entre plomizos cerros
y manchas de raídos encinares,
mi corazón está vagando, en sueños...
¿No ves, Leonor, los álamos del río
con sus ramajes yertos?
Mira el Moncayo azul y blanco; dame
tu mano y paseemos.
Por estos campos de la tierra mía,
bordados de olivares polvorientos,
voy caminando solo,
triste, cansado, pensativo y viejo.

[de *Campos de Castilla*]

CXXII (25)

Soñé que tú me llevabas
por una blanca vereda,
en medio del campo verde,
hacia el azul de las sierras,
hacia los montes azules,
una mañana serena.
Sentí tu mano en la mía,
tu mano de compañera,
tu voz de niña en mi oído
como una campana nueva,
como una campana virgen
de un alba de primavera.
¡Eran tu voz y tu mano,
en sueños, tan verdaderas!...
Vive, esperanza, ¡quién sabe
lo que se traga la tierra!

[de *Campos de Castilla*]

CXXVI (26)
(A José María Palacio)

Palacio, buen amigo,
¿está la primavera
vistiendo ya las ramas de los chopos
del río y los caminos? En la estepa
del alto Duero, Primavera tarda,
¡pero es tan bella y dulce cuando llega!...
¿Tienen los viejos olmos
algunas hojas nuevas?
Aún las acacias estarán desnudas
y nevados los montes de las sierras.
¡Oh, mole del Moncayo blanca y rosa,
allá, en el cielo de Aragón, tan bella!
¿Hay zarzas florecidas
entre la grises peñas,
y blancas margaritas
entre la fina hierba?
Por esos campanarios
ya habrán ido llegando las cigüeñas.
Habrá trigales verdes,
y mulas pardas en las sementeras,
y labriegos que siembran los tardíos
con las lluvias de abril. Ya las abejas

libarán del tomillo y el romero.
¿Hay ciruelos en flor? ¿Quedan violetas?
Furtivos cazadores, los reclamos
de la perdiz bajo las capas luengas,
no faltarán. Palacio, buen amigo
¿tienen ya ruiseñores las riberas?
Con los primeros lirios
y las primeras rosas de las huertas,
en una tarde azul, sube al Espino,
al alto Espino donde está su tierra...

Baeza, 29 de abril de 1913

[de *Campos de Castilla*]

IX (27)

Los olivos grises,
los caminos blancos.
El sol ha sorbido
la color del campo;
y hasta tu recuerdo
me lo va secando
este alma de polvo
de los días malos.

[de *Campos de Castilla*]

GUIOMAR

II (28)

En un jardín te he soñado,
alto, Guiomar, sobre el río,
jardín de un tiempo cerrado
con verjas de hierro frío.
Un ave insólita canta
en el almez, dulcemente,
junto al agua viva y santa,
toda sed y toda fuente.
En ese jardín, Guiomar,
el mutuo jardín que inventan
dos corazones al par,
se funden y complementan
nuestras horas. Los racimos
de un sueño —juntos estamos—
en limpia copa exprimimos,
y el doble cuento olvidamos.
(Uno: Mujer y varón,
aunque gacela y león,
llegan juntos a beber.
El otro: No puede ser
amor de tanta fortuna:

dos soledades en una,
ni aun de varón y mujer.)

* * *

Hoy te escribo en mi celda de viajero,
a la hora de una cita imaginaria.
Rompe el iris al aire el aguacero,
y al monte su tristeza planetaria.
Sol y campanas en la vieja torre.
¡Oh, tarde viva y quieta
que opuso al *panta rhei* su *nada corre*,
tarde niña que amaba tu poeta!
¡Y día adolescente
—ojos claros y músculos morenos—,
cuando pensaste a Amor, junto a la fuente,
besar tus labios y apresar tus senos!
Todo a esta luz de Abril se transparenta;
todo en el hoy de ayer, el Todavía
que en sus maduras horas
el tiempo canta y cuenta,
se funde en una sola melodía,
que es un coro de tardes y de auroras.
A ti, Guiomar, esta nostalgia mía.

CLXXIV (29)

Otras canciones a Guiomar

(*A la manera de Abel Martín y Juan de Mairena*)

¡Y en la tersa arena,
cerca de la mar,
tu carne rosa y morena,
súbitamente, Guiomar!

* * *

en el nácar frío
de tu zarcillo en mi boca,
Guiomar, y en el calofrío
de una amanecida loca;

* * *

asomada al malecón
que bate la mar de un sueño,
y bajo el arco del ceño
de mi vigilia, a traición,
¡siempre tú!
Guiomar, Guiomar,

mírame en ti castigado:
reo de haberte creado,
ya no te puedo olvidar.

[de *Cancionero apócrifo*]

VI (30)

Y te enviaré mi canción:
«Se canta lo que se pierde»,
con un papagayo verde
que la diga en tu balcón.

[de *Cancionero apócrifo*]

S. LX (31)

«Perdón, madona del Pilar, si llego»

Perdón, madona del Pilar, si llego
al par que nuestro amado florentino,
con una mata de serrano espliego,
con una rosa de silvestre espino.
¿Qué otra flor para ti de tu poeta
si no es la flor de su melancolía?
Aquí, donde los huesos del planeta
pule el sol, hiela el viento, diosa mía,
¡con qué divino acento
me llega a mi rincón de sombra y frío
tu nombre, al acercarme el tibio aliento
de otoño, el hondo resonar del río!
Adiós; cerrada mi ventana, siento
junto a mí un corazón... ¿Oyes el mío?

[de *De un cancionero apócrifo*]

[IV] (32)

(*Mairena lee y comenta versos de su maestro*)

Sé que habrás de llorarme cuando muera
para olvidarme y, luego,
poderme recordar, limpios los ojos
que miran en el tiempo.
Más allá de tus lágrimas y de
tu olvido, en tu recuerdo,
me siento ir por una senda clara,
por un «Adiós, Guiomar» enjuto y serio.

[de *De un cancionero apócrifo.*
Poesías sueltas]

V (33)

De mar a mar entre los dos la guerra,
más honda que la mar. En mi parterre,
miro a la mar que el horizonte cierra.
Tú asomada, Guiomar, a un finisterre,
miras hacia otro mar, la mar de España
que Camoens cantara, tenebrosa.
Acaso a ti mi ausencia te acompaña,
a mí me duele tu recuerdo, diosa.
La guerra dio al amor el tajo fuerte.
Y es la total angustia de la muerte,
con la sombra infecunda de la llama
y la soñada miel de amor tardío,
y la flor imposible de la rama
que ha sentido del hacha el corte frío.

[de *Poesías de la guerra*]

SOLILOQUIOS

IV (34)

¡Oh soledad, mi sola compañía,
oh musa del portento, que el vocablo
diste a mi voz que nunca te pedía!,
responde a mi pregunta: ¿con quién hablo?
Ausente de ruidosa mascarada,
divierto mi tristeza sin amigo,
contigo, dueña de la faz velada,
siempre velada al dialogar conmigo.
Hoy pienso: este que soy será quien sea;
no es ya mi grave enigma este semblante
que en el íntimo espejo se recrea,
sino el misterio de tu voz amante.
Descúbreme tu rostro, que yo vea
fijos en mí tus ojos de diamante.

[de *Nuevas canciones*]

CXI (35)
(Noche de verano)

Es una hermosa noche de verano.
Tienen las altas casas
abiertos los balcones
del viejo pueblo a la anchurosa plaza.
En el amplio rectángulo desierto,
bancos de piedra, evónimos y acacias
simétricos dibujan
sus negras sombras en la arena blanca.
En el cenit, la luna, y en la torre,
la esfera del reloj iluminada.
Yo en este viejo pueblo paseando
solo, como un fantasma.

[de *Campos de Castilla*]

XCIV (34)

En medio de la plaza y sobre tosca piedra,
el agua brota y brota. En el cercano huerto
eleva, tras el muro ceñido por la hiedra,
alto ciprés la mancha de su ramaje yerto.
La tarde está cayendo frente a los caserones
de la ancha plaza, en sueños. Relucen las vidrieras
con ecos mortecinos de sol. En los balcones
hay formas que parecen confusas calaveras.
La calma es infinita en la desierta plaza,
donde pasea el alma su traza de alma en pena.
El agua brota y brota en la marmórea taza.
En todo el aire en sombra no más que el agua suena.

[de *Varia*]

LXXVII (35)

[I]

Es una tarde cenicienta y mustia,
destartalada, como el alma mía;
y es esta vieja angustia
que habita mi usual hipocondría.
La causa de esta angustia no consigo
ni vagamente comprender siquiera;
pero recuerdo y, recordando, digo:
—Sí, yo era niño, y tú, mi compañera.

[II]

Y no es verdad, dolor, yo te conozco,
tú eres nostalgia de la vida buena
y soledad de corazón sombrío,
de barco sin naufragio y sin estrella.
Como perro olvidado que no tiene
huella ni olfato y yerra
por los caminos, sin camino, como
el niño que en la noche de una fiesta

se pierde entre el gentío
y el aire polvoriento y las candelas
chispeantes, atónito, y asombra
su corazón de música y de pena,
así voy yo, borracho melancólico,
guitarrista lunático, poeta,
y pobre hombre en sueños,
siempre buscando a Dios entre la niebla.

[de *Galerías*]

XXXVII (36)

¡Oh, dime, noche amiga, amada vieja,
que me traes el retablo de mis sueños
siempre desierto y desolado, y sólo
con mi fantasma dentro,
mi pobre sombra triste
sobre la estepa y bajo el sol de fuego,
o soñando amarguras
en las voces de todos los misterios,
dime, si sabes, vieja amada, dime
si son mías las lágrimas que vierto!
Me respondió la noche:
Jamás me revelaste tu secreto.
Yo nunca supe, amado,
si eras tú ese fantasma de tu sueño,
ni averigüé si era su voz la tuya,
o era la voz de un histrión grotesco.
Dije a la noche: Amada mentirosa,
tú sabes mi secreto;
tú has visto la honda gruta
donde fabrica su cristal mi sueño,
y sabes que mis lágrimas son mías,
y sabes mi dolor, mi dolor viejo.

¡Oh! Yo no sé, dijo la noche, amado,
yo no sé tu secreto,
aunque he visto vagar ese que dices
desolado fantasma, por tu sueño.
Yo me asomo a las almas cuando lloran
y escucho su hondo rezo,
humilde y solitario,
ese que llamas salmo verdadero;
pero en las hondas bóvedas del alma
no sé si el llanto es una voz o un eco.
Para escuchar tu queja de tus labios
yo te busqué en tu sueño,
y allí te vi vagando en un borroso
laberinto de espejos.

[de *Del camino*]

XI (37)

Yo voy soñando caminos
de la tarde. ¡Las colinas
doradas, los verdes pinos,
las polvorientas encinas!...
¿Adónde el camino irá?
Yo voy cantando, viajero
a lo largo del sendero...
—La tarde cayendo está—,
«En el corazón tenía
»la espina de una pasión;
»logré arrancármela un día:
»ya no siento el corazón.»
Y todo el campo un momento
se queda, mudo y sombrío,
meditando. Suena el viento
en los álamos del río.
La tarde más se obscurece;
y el camino que serpea
y débilmente blanquea,
se enturbia y desaparece.

Mi cantar vuelve a plañir:
«Aguda espina dorada,
»quién te pudiera sentir
»en el corazón clavada.»

[de *Soledades*]

PAISAJES CON FIGURA

CXXV (38)

En estos campos de la tierra mía,
y extranjero en los campos de mi tierra
—yo tuve patria donde corre el Duero
por entre grises peñas,
y fantasmas de viejos encinares,
allá en Castilla, mística y guerrera,
Castilla la gentil, humilde y brava,
Castilla del desdén y de la fuerza—,
en estos campos de mi Andalucía,
¡oh, tierra en que nací!, cantar quisiera.
Tengo recuerdos de mi infancia, tengo
imágenes de luz y de palmeras,
y en una gloria de oro,
de lueñes campanarios con cigüeñas,
de ciudades con calles sin mujeres
bajo un cielo de añil, plazas desiertas
donde crecen naranjos encendidos
con sus frutas redondas y bermejas;
y en un huerto sombrío, el limonero
de ramas polvorientas
y pálidos limones amarillos,
que el agua clara de la fuente espeja,

un aroma de nardos y claveles
y un fuerte olor de albahaca y hierbabuena;
imágenes de grises olivares
bajo un tórrido sol que aturde y ciega,
y azules y dispersas serranías
con arreboles de una tarde inmensa;
mas falta el hilo que el recuerdo anuda
al corazón, el ancla en su ribera,
o estas memorias no son alma. Tienen,
en sus abigarradas vestimentas,
señal de ser despojos del recuerdo,
la carga bruta que el recuerdo lleva.
Un día tornarán, con luz del fondo ungidos,
los cuerpos virginales a la orilla vieja.

Lora del Río, 4 de abril de 1913

[de *Campos de Castilla*]

El viajero

II (39)

He andado muchos caminos,
he abierto muchas veredas;
he navegado en cien mares,
y atracado en cien riberas.
En todas partes he visto
caravanas de tristeza,
soberbios y melancólicos
borrachos de sombra negra,
y pedantones al paño
que miran, callan, y piensan
que saben, porque no beben
el vino de las tabernas.
Mala gente que camina
y va apestando la tierra...
Y en todas partes he visto
gentes que danzan o juegan,
cuando pueden, y laboran
sus cuatro palmos de tierra.
Nunca, si llegan a un sitio,
preguntan adónde llegan.

Cuando caminan, cabalgan
a lomos de mula vieja,
y no conocen la prisa
ni aun en los días de fiesta.
Donde hay vino, beben vino;
donde no hay vino, agua fresca.
Son buenas gentes que viven,
laboran, pasan y sueñan,
y en un día como tantos,
descansan bajo la tierra.

[de *Soledades*]

CXXXV (40)
(El mañana efímero)

A Roberto Castrovido

La España de charanga y pandereta,
cerrado y sacristía,
devota de Frascuelo y de María,
de espíritu burlón y de alma quieta,
ha de tener su mármol y su día,
su infalible mañana y su poeta.
El vano ayer engendrará un mañana
vacío y ¡por ventura! pasajero.
Será un joven lechuzo y tarambana,
un sayón con hechuras de bolero,
a la moda de Francia realista,
un poco al uso de París pagano,
y al estilo de España especialista
en el vicio al alcance de la mano.
Esa España inferior que ora y bosteza,
vieja y tahúr, zaragatera y triste;
esa España inferior que ora y embiste,
cuando se digna usar de la cabeza,
aún tendrá luengo parto de varones
amantes de sagradas tradiciones

y de sagradas formas y maneras;
florecerán las barbas apostólicas,
y otras calvas en otras calaveras
brillarán, venerables y católicas.
El vano ayer engendrará un mañana
vacío y ¡por ventura! pasajero,
la sombra de un lechuzo tarambana,
de un sayón con hechuras de bolero,
el vacuo ayer dará un mañana huero.
Como la náusea de un borracho ahíto
de vino malo, un rojo sol corona
de heces turbias las cumbres de granito;
hay un mañana estomagante escrito
en la tarde pragmática y dulzona.
Mas otra España nace,
la España del cincel y de la maza,
con esa eterna juventud que se hace
del pasado macizo de la raza.
Una España implacable y redentora,
España que alborea
con un hacha en la mano vengadora,
España de la rabia y de la idea.

1913

[de *Campos de Castilla*]

CXXVII (41)
(Poema de un día)

Meditaciones rurales

Heme aquí ya, profesor
de lenguas vivas (ayer
maestro de gay-saber,
aprendiz de ruiseñor)
en un pueblo húmedo y frío,
destartalado y sombrío,
entre andaluz y manchego.
Invierno. Cerca del fuego.
Fuera llueve un agua fina,
que ora se trueca en neblina,
ora se torna aguanieve.
Fantástico labrador,
pienso en los campos. ¡Señor,
qué bien haces! Llueve, llueve
tu agua constante y menuda
sobre alcaceles y habares,
tu agua muda,
en viñedos y olivares.
Te bendecirán conmigo
los sembradores del trigo;

los que viven de coger
la aceituna;
los que esperan la fortuna
de comer;
los que hogaño,
como antaño,
tienen toda su moneda
en la rueda,
traidora rueda del año.
¡Llueve, llueve; tu neblina
que se torne en aguanieve,
y otra vez en agua fina!
¡Llueve, Señor, llueve, llueve!
  En mi estancia, iluminada
por esta luz invernal
—la tarde gris tamizada
por la lluvia y el cristal—,
sueño y medito.
                    Clarea
el reloj arrinconado,
y su tic-tac, olvidado
por repetido, golpea.
Tic-tic, tic-tic... Ya te he oído.
Tic-tic, tic-tic... Siempre igual,
monótono y aburrido.
Tic-tic, tic-tic, el latido

de un corazón de metal.
En estos pueblos, ¿se escucha
el latir del tiempo? No.
En estos pueblos se lucha
sin tregua con el reló,
con esa monotonía,
que mide un tiempo vacío.
Pero ¿tu hora es la mía?
¿Tu tiempo, reloj, el mío?
(Tic-tic, tic-tic)... Era un día
(tic-tic, tic-tic) que pasó,
y lo que yo más quería
la muerte se lo llevó.
　　Lejos suena un clamoreo
de campanas...
Arrecia el repiqueteo
de la lluvia en las ventanas.
Fantástico labrador,
vuelvo a mis campos. ¡Señor,
cuánto te bendecirán
los sembradores del pan!
Señor, ¿no es tu lluvia ley,
en los campos que ara el buey,
y en los palacios del rey?
¡Oh, agua buena, deja vida
en tu huida!

¡Oh, tú que vas gota a gota,
fuente a fuente y río a río,
como este tiempo de hastío
corriendo a la mar remota,
con cuanto quiere nacer,
cuanto espera
florecer
al sol de la primavera,
sé piadosa,
que mañana
serás espiga temprana,
prado verde, carne rosa,
y más: razón y locura
y amargura
de querer y no poder
creer, creer y creer!
    Anochece;
el hilo de la bombilla
se enrojece,
luego brilla,
resplandece,
poco más que una cerilla.
Dios sabe dónde andarán
mis gafas... entre librotes,
revistas y papelotes,
¿quién las encuentra...? Aquí están.

Libros nuevos. Abro uno
de Unamuno.
¡Oh, el dilecto,
predilecto
de esta España que se agita,
porque nace o resucita!
Siempre te ha sido, ¡oh Rector
de Salamanca!, leal
este humilde profesor
de un instituto rural.
Esa tu filosofía
que llamas diletantesca,
voltaria y funambulesca,
gran Don Miguel, es la mía.
Agua del buen manantial,
siempre viva,
fugitiva;
poesía, cosa cordial.
¿Constructora?
—No hay cimiento
ni en el alma ni en el viento—.
Bogadora,
marinera,
hacia la mar sin ribera.
Enrique Bergson: *Los datos*
inmediatos

de la conciencia. ¿Esto es
otro embeleco francés?
Este Bergson es un tuno;
¿verdad, maestro Unamuno?
Bergson no da como aquel
Immanuel
el volatín inmortal;
este endiablado judío
ha hallado el libre albedrío
dentro de su mechinal.
No está mal:
cada sabio, su problema,
y cada loco, su tema.
Algo importa
que en la vida mala y corta
que llevamos
libres o siervos seamos;
mas, si vamos
a la mar,
lo mismo nos han de dar.
¡Oh, estos pueblos! Reflexiones,
lecturas y acotaciones
pronto dan en lo que son:
bostezos de Salomón.
¿Todo es
soledad de soledades,

vanidad de vanidades,
que dijo el Eclesiastés?
Mi paraguas, mi sombrero,
mi gabán... El aguacero
amaina... Vámonos, pues.
Es de noche. Se platica
al fondo de una botica.
—Yo no sé,
Don José,
cómo son los liberales
tan perros, tan inmorales.
—¡Oh, tranquilícese usté!
Pasados los carnavales,
vendrán los conservadores,
buenos administradores
de su casa.
Todo llega y todo pasa.
Nada eterno:
ni gobierno
que perdure,
ni mal que cien años dure.
—Tras estos tiempos, vendrán
otros tiempos y otros y otros,
y lo mismo que nosotros
otros se jorobarán.
Así es la vida, Don Juan.

—Es verdad, así es la vida.
—La cebada está crecida.
—Con estas lluvias...
Y van
las habas que es un primor.
—Cierto; para marzo, en flor.
Pero la escarcha, los hielos...
—Y además, los olivares
están pidiendo a los cielos
agua a torrentes.
—A mares.
¡Las fatigas, los sudores
que pasan los labradores!
En otro tiempo...
—Llovía
también cuando Dios quería.
—Hasta mañana, señores.
Tic-tic, tic-tic... Ya pasó
un día como otro día,
dice la monotonía
del reló.
Sobre mi mesa *Los datos
de la conciencia*, inmediatos.
No está mal
este yo fundamental,
contingente y libre, a ratos,

creativo, original;
este yo que vive y siente
dentro de la carne mortal
¡ay! por saltar impaciente
las bardas de su corral.

[de *Campos de Castilla*]

II (42)

El poeta recuerda las tierras de Soria

¡Ya su perfil zancudo en el regato,
en el azul el vuelo de ballesta,
o, sobre el ancho nido de ginesta,
en torre, torre y torre, el garabato
de la cigüeña!... En la memoria mía
tu recuerdo a traición ha florecido;
y hoy comienza tu campo empedernido
el sueño verde de la tierra fría.
Soria pura, entre montes de violeta.
Di tú, avión marcial, si el alto Duero
adonde vas recuerda a su poeta,
al revivir su rojo Romancero;
¿o es, otra vez, Caín, sobre el planeta,
bajo tus alas, moscardón guerrero?

[de *Poesías de la guerra*]

S. LXV (43)
El crimen fue en Granada

A Federico García Lorca

I

El crimen

Se le vio, caminando entre fusiles,
por una calle larga,
salir al campo frío,
aún con estrellas, de la madrugada.
Mataron a Federico
cuando la luz asomaba.
El pelotón de verdugos
no osó mirarle la cara.
Todos cerraron los ojos;
rezaron: ¡ni Dios te salva!
Muerto cayó Federico
—sangre en la frente y plomo en las entrañas—
... Que fue en Granada el crimen
sabed —¡pobre Granada!—, en su Granada...

II

El Poeta y la Muerte

Se le vio caminar solo con Ella,
sin miedo a su guadaña.
—Ya el sol en torre y torre; los martillos
en yunque —yunque y yunque de las fraguas.
Hablaba Federico,
requebrando a la muerte. Ella escuchaba.
«Porque ayer en mi verso, compañera,
sonaba el golpe de tus secas palmas,
y diste el hielo a mi cantar, y el filo
a mi tragedia de tu hoz de plata,
te cantaré la carne que no tienes,
los ojos que te faltan,
tus cabellos que el viento sacudía,
los rojos labios donde te besaban...
Hoy como ayer, gitana, muerte mía,
qué bien contigo a solas,
por estos aires de Granada, ¡mi Granada!»

III

Se le vio caminar...
Labrad, amigos,
de piedra y sueño, en el Alhambra,
un túmulo al poeta,
sobre una fuente donde llore el agua,
y eternamente diga:
el crimen fue en Granada, ¡en su Granada!

[de *Poesías de la guerra*]

RETRATOS

XCVII (44)

(Retrato)

Mi infancia son recuerdos de un patio de Sevilla,
y un huerto claro donde madura el limonero;
mi juventud, veinte años en tierra de Castilla;
mi historia, algunos casos que recordar no quiero.
Ni un seductor Mañara, ni un Bradomín he sido
—ya conocéis mi torpe aliño indumentario—,
mas recibí la flecha que me asignó Cupido,
y amé cuanto ellas puedan tener de hospitalario.
Hay en mis venas gotas de sangre jacobina,
pero mi verso brota de manantial sereno;
y, más que un hombre al uso que sabe su doctrina,
soy, en el buen sentido de la palabra, bueno.
Adoro la hermosura, y en la moderna estética
corté las viejas rosas del huerto de Ronsard;
mas no amo los afeites de la actual cosmética,
ni soy un ave de esas del nuevo gay-trinar.
Desdeño las romanzas de los tenores huecos
y el coro de los grillos que cantan a la luna.
A distinguir me paro las voces de los ecos,
y escucho solamente, entre las voces, una.
¿Soy clásico o romántico? No sé. Dejar quisiera
mi verso, como deja el capitán su espada:

famosa por la mano viril que la blandiera,
no por el docto oficio del forjador preciada.
Converso con el hombre que siempre va conmigo
—quien habla solo espera hablar a Dios un día—;
mi soliloquio es plática con este buen amigo
que me enseñó el secreto de la filantropía.
Y al cabo, nada os debo; debéisme cuanto he escrito.
A mi trabajo acudo, con mi dinero pago
el traje que me cubre y la mansión que habito,
el pan que me alimenta y el lecho en donde yago.
Y cuando llegue el día del último viaje,
y esté al partir la nave que nunca ha de tornar,
me encontraréis a bordo ligero de equipaje,
casi desnudo, como los hijos de la mar.

[de *Campos de Castilla*]

IV (45)

Esta luz de Sevilla... Es el palacio
donde nací, con su rumor de fuente.
Mi padre, en su despacho. —La alta frente,
la breve mosca, y el bigote lacio—.
Mi padre, aún joven. Lee, escribe, hojea
sus libros y medita. Se levanta;
va hacia la puerta del jardín. Pasea.
A veces habla solo, a veces canta.
Sus grandes ojos de mirar inquieto
ahora vagar parecen, sin objeto
donde puedan posar, en el vacío.
Ya escapan de su ayer a su mañana;
ya miran en el tiempo, ¡padre mío!,
piadosamente mi cabeza cana.

[de *Nuevas canciones*]

S. XXXVIII (46)
En el tiempo

1882. 1890. 1892.

Mi padre

Ya casi tengo un retrato
de mi buen padre, en el tiempo,
pero el tiempo se lo va llevando.
Mi padre, cazador —en la ribera
de Guadalquivir ¡en un día tan claro!—
—es el cañón azul de su escopeta
y del tiro certero el humo blanco.
Mi padre en el jardín de nuestra casa,
mi padre, entre sus libros, trabajando.
Los ojos grandes, la alta frente,
el rostro enjuto, los bigotes lacios.
Mi padre escribe (letra diminuta—)
medita, sueña, sufre, habla alto.
Pasea —oh padre mío ¡todavía
estás ahí, el tiempo no te ha borrado!
Ya soy más viejo que eras tú, padre mío, cuando me
[besabas.
Pero en el recuerdo, soy también el niño que tú llevabas
[de la mano.

¡Muchos años pasaron sin que yo te recordara, padre
[mío!
¿Dónde estabas tú en esos años?

13 de marzo de 1916

[de *Campos de Castilla. Poesías sueltas*]

CVI (47)
(Un loco)

Es una tarde mustia y desabrida
de un otoño sin frutos, en la tierra
estéril y raída
donde la sombra de un centauro yerra.
Por un camino en la árida llanura,
entre álamos marchitos,
a solas con su sombra y su locura
va el loco, hablando a gritos.
Lejos se ven sombríos estepares,
colinas con malezas y cambrones,
y ruinas de viejos encinares,
coronando los agrios serrijones.
El loco vocifera
a solas con su sombra y su quimera.
Es horrible y grotesca su figura;
flaco, sucio, maltrecho y mal rapado,
ojos de calentura
iluminan su rostro demacrado.
Huye de la ciudad... Pobres maldades,
misérrimas virtudes y quehaceres
de chulos aburridos, y ruindades
de ociosos mercaderes.

Por los campos de Dios el loco avanza.
Tras la tierra esquelética y sequiza
—rojo de herrumbre y pardo de ceniza—
hay un sueño de lirio en lontananza.
Huye de la ciudad. ¡El tedio urbano!
—¡carne triste y espíritu villano!—.
No fue por una trágica amargura
esta alma errante desgajada y rota;
purga un pecado ajeno: la cordura,
la terrible cordura del idiota.

[de *Campos de Castilla*]

CVIII (48)
(Un criminal)

El acusado es pálido y lampiño.
Arde en sus ojos una fosca lumbre,
que repugna a su máscara de niño
y ademán de piadosa mansedumbre.
Conserva del oscuro seminario
el talante modesto y la costumbre
de mirar a la tierra o al breviario.
Devoto de María,
madre de pecadores,
por Burgos bachiller en teología,
presto a tomar las órdenes menores.
Fue su crimen atroz. Hartóse un día
de los textos profanos y divinos,
sintió pesar del tiempo que perdía
enderezando hipérbatons latinos.
Enamoróse de una hermosa niña;
subiósele el amor a la cabeza
como el zumo dorado de la viña,
y despertó su natural fiereza.
En sueños vio a sus padres —labradores
de mediano caudal— iluminados
del hogar por los rojos resplandores,
los campesinos rostros atezados.

Quiso heredar. ¡Oh guindos y nogales
del huerto familiar, verde y sombrío,
y doradas espigas candeales
que colmarán los trojes del estío!
Y se acordó del hacha que pendía
en el muro, luciente y afilada,
el hacha fuerte que la leña hacía
de la rama de roble cercenada.

....

Frente al reo, los jueces con sus viejos
ropones enlutados;
y una hilera de oscuros entrecejos
y de plebeyos rostros: los jurados.
El abogado defensor perora,
golpeando el pupitre con la mano;
emborrona papel un escribano,
mientras oye el fiscal, indiferente,
el alegato enfático y sonoro,
y repasa los autos judiciales
o, entre sus dedos, de las gafas de oro
acaricia los límpidos cristales.
Dice un ujier: «Va sin remedio al palo.»
El joven cuervo la clemencia espera.
Un pueblo, carne de horca, la severa
justicia aguarda que castiga al malo.

[de *Campos de Castilla*]

CXXXI (49)
(Del pasado efímero)

Este hombre del casino provinciano
que vio a Carancha recibir un día,
tiene mustia la tez, el pelo cano,
ojos velados por la melancolía;
bajo el bigote gris, labios de hastío,
y una triste expresión, que no es tristeza,
sino algo más y menos: el vacío
del mundo en la oquedad de su cabeza.
Aún luce de corinto terciopelo
chaqueta y pantalón abotinado,
y un cordobés color de caramelo,
pulido y torneado.
Tres veces heredó; tres ha perdido
al monte su caudal; dos ha enviudado.
Sólo se anima ante el azar prohibido,
sobre el verde tapete reclinado
o al evocar la tarde de un torero,
la suerte de un tahúr, o si alguien cuenta
la hazaña de un gallardo bandolero,
o la proeza de un matón, sangrienta.
Bosteza de política banales
dicterios al gobierno reaccionario,

y augura que vendrán los liberales,
cual torna la cigüeña al campanario.
Un poco labrador, del cielo aguarda
y al cielo teme; alguna vez suspira,
pensando en su olivar, y al cielo mira
con ojo inquieto, si la lluvia tarda.
Lo demás, taciturno, hipocondríaco,
prisionero en la Arcadia del presente,
le aburre; sólo el humo del tabaco
simula algunas sombras en su frente.
Este hombre no es de ayer ni es de mañana,
sino de nunca; de la cepa hispana
no es el fruto maduro ni podrido,
es una fruta vana
de aquella España que pasó y no ha sido,
esa que hoy tiene la cabeza cana.

[de *Campos de Castilla*]

CXXXIII (50)

(Llanto de las virtudes y coplas por la muerte de don Guido)

Al fin, una pulmonía
mató a don Guido, y están
las campanas todo el día
doblando por él: ¡din-dan!
Murió don Guido, un señor
de mozo muy jaranero,
muy galán y algo torero;
de viejo, gran rezador.
Dicen que tuvo un serrallo
este señor de Sevilla;
que era diestro
en manejar el caballo,
y un maestro
en refrescar manzanilla.
Cuando mermó su riqueza,
era su monomanía
pensar que pensar debía
en asentar la cabeza.
Y asentóla
de una manera española,
que fue casarse con una
doncella de gran fortuna;

y repintar sus blasones,
hablar de las tradiciones
de su casa,
a escándalos y amoríos
poner tasa,
sordina a sus desvaríos.
 Gran pagano,
se hizo hermano
de una santa cofradía;
el Jueves Santo salía,
llevando un cirio en la mano
—¡aquel trueno!—,
vestido de nazareno.
Hoy nos dice la campana
que han de llevarse mañana
al buen don Guido, muy serio,
camino del cementerio.
 Buen don Guido, ya eres ido
y para siempre jamás...
Alguien dirá: ¿Qué dejaste?
Yo pregunto: ¿Qué llevaste
al mundo donde hoy estás?
 ¿Tu amor a los alamares
y a las sedas y a los oros,
y a la sangre de los toros
y al humo de los altares?

Buen don Guido y equipaje,
¡buen viaje!...
El acá
y el allá,
caballero,
se ve en tu rostro marchito,
lo infinito:
cero, cero.
¡Oh las enjutas mejillas,
amarillas,
y los párpados de cera,
y la fina calavera
en la almohada del lecho!
¡Oh fin de una aristocracia!
La barba canosa y lacia
sobre el pecho;
metido en tosco sayal,
las yertas manos en cruz,
¡tan formal!
el caballero andaluz.

[de *Campos de Castilla*]

COPLAS, PROVERBIOS Y CANTARES

III (51)

A quien nos justifica nuestra desconfianza
llamamos enemigo, ladrón de una esperanza.
Jamás perdona el necio si ve la nuez vacía
que dio a cascar al diente de la sabiduría.

[de *Campos de Castilla*]

V (52)

Ni vale nada el fruto
cogido sin sazón...
Ni aunque te elogie un bruto
ha de tener razón.

[de *Campos de Castilla*]

VI (53)

De lo que llaman los hombres
virtud, justicia y bondad,
una mitad es envidia,
y la otra, no es caridad.

[de *Campos de Castilla*]

VII (54)

Yo he visto garras fieras en las pulidas manos;
conozco grajos mélicos y líricos marranos...
El más truhán se lleva la mano al corazón,
y el bruto más espeso se carga de razón.

[de *Campos de Castilla*]

IX (55)

El hombre, a quien el hambre de la rapiña acucia,
de ingénita malicia y natural astucia,
formó la inteligencia y acaparó la tierra.
¡Y aun la verdad proclama! ¡Supremo ardid de guerra!

[de *Campos de Castilla*]

X (56)

La envidia de la virtud
hizo a Caín criminal.
¡Gloria a Caín! Hoy el vicio
es lo que se envidia más.

[de *Campos de Castilla*]

XI (57)

La mano del piadoso nos quita siempre honor;
mas nunca ofende al darnos su mano el lidiador.
Virtud es fortaleza, ser bueno es ser valiente;
escudo, espada y maza llevar bajo la frente;
porque el valor honrado de todas armas viste:
no sólo para, hiere, y más que guarda, embiste.
Que la piqueta arruine, y el látigo flagele;
la fragua ablande el hierro, la lima pula y gaste,
y que el buril burile, y que el cincel cincele,
la espada punce y hienda y el gran martillo aplaste.

[de *Campos de Castilla*]

XIX (58)

El casca-nueces-vacías,
Colón de cien vanidades,
vive de supercherías
que vende como verdades.

[de *Campos de Castilla*]

XXIV (59)

De diez cabezas, nueve
embisten y una piensa.
Nunca extrañéis que un bruto
se descuerne luchando por la idea.

[de *Campos de Castilla*]

L (60)

—Nuestro español bosteza.
¿Es hambre? ¿Sueño? ¿Hastío?
Doctor, ¿tendrá el estómago vacío?
—El vacío es más bien en la cabeza.

[de *Campos de Castilla*]

LIII (61)

Ya hay un español que quiere
vivir y a vivir empieza,
entre una España que muere
y otra España que bosteza.
Españolito que vienes
al mundo, te guarde Dios.
Una de las dos Españas
ha de helarte el corazón.

[de *Campos de Castilla*]

XVIII (62)

¡Ah, cuando yo era niño
soñaba con los héroes de la Ilíada!
Áyax era más fuerte que Diomedes,
Héctor, más fuerte que Áyax,
y Aquiles el más fuerte; porque era
el más fuerte... ¡Inocencias de la infancia!
¡Ah, cuando yo era niño
soñaba con los héroes de la Ilíada!

[de *Campos de Castilla*]

XX (63)

¡Teresa, alma de fuego,
Juan de la Cruz, espíritu de llama,
por aquí hay mucho frío, padres, nuestros
corazoncitos de Jesús se apagan!

[de *Campos de Castilla*]

XXV (64)

Las abejas de las flores
sacan miel, y melodía
del amor, los ruiseñores;
Dante y yo —perdón, señores—,
trocamos —perdón, Lucía—,
el amor en Teología.

[de *Campos de Castilla*]

CL (65)
(Mis poetas)

El primero es Gonzalo de Berceo llamado,
Gonzalo de Berceo, poeta y peregrino,
que yendo en romería acaeció en un prado,
y a quien los sabios pintan copiando un pergamino.
Trovó a Santo Domingo, trovó a Santa María,
y a San Millán, y a San Lorenzo y Santa Oria,
y dijo: Mi dictado non es de juglaría;
escrito lo tenemos; es verdadera historia.
Su verso es dulce y grave: monótonas hileras
de chopos invernales en donde nada brilla;
renglones como surcos en pardas sementeras,
y lejos, las montañas azules de Castilla.
Él nos cuenta el repaire del romeo cansado;
leyendo en santorales y libros de oración,
copiando historias viejas, nos dice su dictado,
mientras le sale afuera la luz del corazón.

[de *Elogios*]

[XVI] (66)

De mi cartera

I

Ni mármol duro y eterno,
ni música ni pintura,
sino palabra en el tiempo.

II

Canto y cuento es la poesía.
Se canta una viva historia,
contando su melodía.

V

Prefiere la rima pobre,
la asonancia indefinida.
Cuando nada cuenta el canto,
acaso huelga la rima.

VI

Verso libre, verso libre...
Líbrate, mejor, del verso
cuando te esclavice.

VII

La rima verbal y pobre,
y temporal, es la rica.
El adjetivo y el nombre,
remansos del agua limpia,
son accidentes del verbo
en la gramática lírica,
del Hoy que será Mañana,
del Ayer que es Todavía.

1924

LXXVI (67)

El tono lo da la lengua,
ni más alto ni más bajo;
sólo acompáñate de ella.

LXXIX (68)

Del romance castellano
no busques la sal castiza;
mejor que romance viejo,
poeta, cantar de niñas.
Déjale lo que no puedes
quitarle: su melodía
de cantar que canta y cuenta
un ayer que es todavía.

XCIX (69)

—¿Mas el arte...?
—Es puro juego,
que es igual a pura vida,
que es igual a puro fuego.
Veréis el ascua encendida.

VII

¿Siglo nuevo? ¿Todavía
llamea la misma fragua?
¿Corre todavía el agua
por el cauce que tenía?

XXIX (70)

Despertad, cantores:
acaben los ecos,
empiecen las voces.

[de *Nuevas canciones*]

5 (71)

¡Y esta gran placentería
de ruiseñores que cantan!
Ninguna voz es la mía.

[de *Nuevas canciones y*
Cancionero apócrifo]

Saludando a los modernistas (72)

Los del semblante amarillo
y del pelo largo y lucio,
que hoy tocan el caramillo,
son flores de patinillo,
lombrices de caño sucio.

1901

[de *De un cancionero apócrifo*]

XVII (73)

En mi soledad
he visto cosas muy claras,
que no son verdad.

XXX (74)

Mas no busquéis disonancias;
porque, al fin, nada disuena,
siempre al son que tocan bailan.

XLVI (75)

Se miente más de la cuenta
por falta de fantasía:
también la verdad se inventa.

[de *Nuevas canciones*]

[II] (76)
(Coplas populares andaluzas)

I

Quisiera verte y no verte,
quisiera hablarte y no hablarte;
quisiera encontrarte a solas
y no quisiera encontrarte.

II

La pena y la que no es pena,
todo es pena para mí:
ayer penaba por verte;
hoy peno porque te vi.

III

Tengo una pena, una pena,
que casi puedo decir
que yo no tengo la pena:
la pena me tiene a mí.

VI

El deber de la mentira
es embaucar papanatas;
y no es buena la piadosa,
sino la que engaña.

[de *De un cancionero apócrifo*]

XLIX (77)

¿Dijiste media verdad?
Dirán que mientes dos veces
si dices la otra mitad.

XV (78)

Busca a tu complementario,
que marcha siempre contigo,
y suele ser tu contrario.

XXXVI (79)

No es el yo fundamental
eso que busca el poeta,
sino el tú esencial.

XXXIX (80)

Busca en tu prójimo espejo;
pero no para afeitarte,
ni para teñirte el pelo.

III

Todo narcisismo
es un vicio feo,
y ya viejo vicio.

VI

Ese tu Narciso
ya no se ve en el espejo
porque es el espejo mismo.

LVII (81)

Algunos desesperados
sólo se curan con soga;
otros, con siete palabras:
la fe se ha puesto de moda.

LVIII (82)

Creí mi hogar apagado,
y revolví la ceniza...
Me quemé la mano.

LXXXVI (83)

Tengo a mis amigos
en mi soledad;
cuando estoy con ellos
¡qué lejos están!

[de *Nuevas canciones*]

XXXVI (84)

Fe empirista. Ni somos ni seremos.
Todo nuestro vivir es emprestado.
Nada trajimos; nada llevaremos.

XLIII (85)

Dices que nada se pierde
y acaso dices verdad;
pero todo lo perdemos
y todo nos perderá.

XLVIII (86)

Mirando mi calavera
un nuevo Hamlet dirá:
He aquí un lindo fósil de una
careta de carnaval.

XLIX (87)

Ya noto, al paso que me torno viejo,
que en el inmenso espejo,
donde orgulloso me miraba un día,
era el azogue lo que yo ponía.
Al espejo del fondo de mi casa
una mano fatal
va rayendo el azogue, y todo pasa
por él como la luz por el cristal.

[de *Campos de Castilla*]

ÍNDICE

ADEMÁS EN ESTA COLECCIÓN

FEDERICO GARCÍA LORCA

Si muero,
dejad el balcón abierto.

El niño come naranjas.
(Desde mi balcón lo veo.)

El segador siega el trigo.
(Desde mi balcón lo siento.)

¡Si muero,
dejad el balcón abierto!

JOSÉ AGUSTÍN GOYTISOLO

Quiero decirlo ahora
porque si no después las cosas se complican.
Soy peor todavía de lo que muchos creen.
Me gusta justamente el plato que otro come
aburro una tras otra mis camisas
me encantan los entierros y odio los recitales
duermo como una bestia
deseo que los muebles estén más de mil años en el mismo
[lugar
y aunque a escondidas uso tu cepillo de dientes
no quiero que te peines con mi peine.

POESÍA EN INTERNET

Consulta nuestra página WEB
y envíanos tus poesías
a través de Internet a la dirección:

http://www.tsc.es/p&j/poesia